Eugène, la bouche pleine

À C&C, spécialement le mardi

Il était une fois,
il y a très longtemps de cela,
un petit ogre qui s'appelait Eugène.

Il était si gourmand
qu'il mangeait tout le temps :
des pommes, des poires et des scoubidous,
veaux, vaches, cochons, et tout et tout !

Un beau matin, il se dit :
« Je me sens bien seul aujourd'hui...
Il faut qu'avant le déjeuner
j'aie trouvé un ami pour jouer ! »

Chemin faisant, il croisa
une brebis égarée.
Il s'empressa de la dévorer,
et c'est la bouche pleine de laine
qu'il s'adressa à un petit chat
passant par là.

– Chechi chat, cheu chu chouer achec choi ?
Le petit chat n'avait rien compris,
mais, quand il vit les poils de brebis
sur le menton du malappris,
il prit peur et s'enfuit.

— Je me sens bien seul...,
se lamenta Eugène, la larme à l'œil.
Mais, comme il était toujours affamé,
il engloutit un potager,
et c'est la bouche encore pleine
qu'il s'adressa au petit chat
qui repassait par là.

– Gentil… ZIIIIIIIIIIIP ! petit chat…
ZAAAAAAAAAP ! que revoilà, veux-tu…
ZUUUUUUUUUUP ! jouer avec moi ?
Le pauvre petit chat eut beau esquiver
un chou, une courge…
Une patate en plein nez,
il s'écroula, complètement sonné.

– Tu ne veux pas jouer avec moi ?
Eh bien, tant pis pour toi !
dit Eugène, et il avala le petit chat.

— Bon, c'est vrai, je n'ai pas d'ami,
mais j'ai toujours de l'appétit !
dit-il, quand une petite voix
sortant de son gosier l'apostropha :
— On ne parle pas la bouche pleine,
espèce de grosse baleine !

C'était le petit chat futé,
qui s'était réfugié
dans une dent cariée
pour éviter d'être mâché.

Eugène voulut protester,
mais il ne pouvait plus parler...
Car, je ne sais pas si vous le savez,
mais un chat dans la gorge rend muet.

Pour se débarrasser
du petit chat futé,
Eugène voulut avaler
un champ de navets.

Mais le chat, d'un coup de pied,
les fit passer du mauvais côté,
et l'ogre faillit s'étrangler.

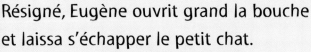

Résigné, Eugène ouvrit grand la bouche
et laissa s'échapper le petit chat.
– Bon, d'accord, c'est toi le plus fort !
Et puis, tu gagnes à être connu...
Soyons quand même amis, veux-tu ?

— Je suis d'accord,

mais à une seule condition :

pense à vider ta bouche

quand nous discuterons.

— Promis, juré, craché ! lui répondit Eugène.

— Ah, non, pas ça ! s'écria le petit chat.

FIN